Wraps

Wraps

PaRragon

Bath · New York · Singapore · Hong Kong · Cologne · Delhi · Melbourne

Introduction : Frances Eames
Photographie : Günter Beer
Conception : Stevan Paul

ISBN : 978-1-4075-4185-3

Imprimé en Chine
Printed in China

Notes au lecteur

• Une cuillerée à soupe correspond à 15 à 20 g d'ingrédients secs et à 15 ml
d'ingrédients liquides. Une cuillerée à café correspond à 3 à 5 g d'ingrédients
secs et à 5 ml d'ingrédients liquides. Sans autre précision, le lait est entier,
les œufs sont de taille moyenne et le poivre est du poivre noir fraîchement
moulu. Les temps de préparation et de cuisson des recettes pouvant varier
en fonction, notamment, du four utilisé, ils sont donnés à titre indicatif.

• La consommation des œufs crus ou peu cuits n'est pas recommandée
aux enfants, aux personnes âgées, malades ou convalescentes et aux femmes
enceintes.

Sommaire

Qu'est-ce qu'un wrap ?

Les wraps sont à la mode. Preuve indéniable à l'appui : ils sont en train de remplacer l'indétrônable sandwich. Et oui, les wraps sont légers, colorés et bons pour la santé. Ils conviennent aussi bien pour le repas rapide du midi au travail, que pour un déjeuner léger, un pique-nique ou un dîner informel entre amis.

Le wrap a été mis au point par Bobby Valentine, un Américain, ancien entraîneur de baseball, qui souhaitait attirer les clients dans son restaurant du Connecticut.

Une grande variété

Les wraps satisferont aussi bien ceux qui sont soucieux de leur santé et de leur ligne que les gourmands à la recherche de nouvelles sensations. Régime ou pas, les wraps sont désormais incontournables. Ils sont faciles et rapides à préparer et conviennent à toute la famille.

La variété des garnitures permet de pourvoir à tous les besoins : pour plus de fibres, testez les tortillas au blé complet ; pour des menus sans gluten, essayez les tortillas au maïs.

Soirées entre amis

Les wraps et les tortillas sont parfaits pour accueillir des amis lors d'une soirée. Pensez aux recettes méditerranéennes pour un repas en terrasse. Vous pouvez varier les garnitures pour contenter aussi bien les végétariens que les amateurs de viande. Garnis d'ingrédients frais et variés, les wraps sont un plaisir pour les yeux et les papilles, et sont prêts en un rien de temps. Pas étonnant qu'ils soient aussi populaires !

Apéritifs et desserts

Les wraps peuvent être servis aussi bien en apéritif qu'en dessert. Pourquoi ne pas faire une infidélité

aux traditionnelles cacahuètes en proposant des wraps de crevettes à l'avocat (*voir* page 51) ? Pour les gourmands, n'oubliez pas les crêpes et les pancakes : ces délicieux desserts sont prêts en quelques minutes. Laissez-vous par exemple tenter par des crêpes chocolat-banane (*voir* page 83).

Le chouchou des enfants

Les enfants adorent les wraps parce qu'ils peuvent les manger avec les doigts. Si vous ou vos enfants êtes végétariens et que vous avez l'impression de ne pas assez diversifier vos repas, les wraps et leurs garnitures variées sont une solution idéale. Votre enfant pourra même s'amuser à préparer son propre wrap.

« Le rouleau »

Il s'agit de la méthode la plus simple. Placez la garniture au centre de la galette et étalez-la en suivant une ligne verticale, de haut en bas. Puis, rabattez les bords gauche et droit de la galette sur la garniture ou ramenez un bord de la galette sur la garniture et roulez la partie garnie vers l'autre bord. Faites attention à ne pas faire sortir la garniture par les extrémités en appuyant trop fort.

« Le cornet »

Avec cette méthode, la garniture sort d'un côté mais l'autre extrémité du wrap est fermée. Il s'agit en fait de créer un cornet. Placez la garniture au centre de la galette et étalez en suivant une ligne verticale, de bas en haut. Rabattez le bord inférieur de la galette sur la garniture. Répétez l'opération avec les bords gauche et droit. Vous devez obtenir un cornet prêt à déguster.

Régalez-vous, sans oublier de prendre des serviettes pour vous essuyer les mains après le repas !

Viandes et volailles

Pour 8 fajitas

3 cuil. à soupe d'huile d'olive, un peu plus pour arroser

3 cuil. à soupe de sirop d'érable ou de miel clair

1 cuil. à soupe de vinaigre de vin rouge

2 gousses d'ail, hachées

2 cuil. à café d'origan séché

1 à 2 cuil. à café de flocons de piment rouge

4 blancs de poulet, sans la peau et désossés

2 poivrons rouges, épépinés et coupés en lanières de 2,5 cm

sel et poivre

8 tortillas, chaudes

mesclun et guacamole, en accompagnement

Fajitas au poulet

Dans une terrine, mettre l'huile, le sirop d'érable, le vinaigre, l'ail, l'origan et les flocons de piment, saler, poivrer et mélanger.

Couper le poulet perpendiculairement au sens de la fibre en tranches de 2,5 cm d'épaisseur. Ajouter dans la terrine, couvrir et mettre au réfrigérateur. Laisser mariner 2 à 3 heures en remuant de temps en temps.

Chauffer une poêle à fond rainuré. Retirer le poulet de la marinade à l'aide d'une écumoire, ajouter dans la poêle et cuire 3 à 4 minutes de chaque côté à feu vif, jusqu'à ce qu'il soit bien cuit. Transférer dans un plat de service chaud et réserver.

Ajouter les poivrons dans la poêle, côté peau vers le bas, et cuire 2 minutes de chaque côté. Transférer dans le plat.

Servir immédiatement accompagné de tortillas chaudes, de mesclun et de guacamole.

Pour 4 wraps

2 blancs de poulet

1 cuil. à soupe d'huile d'olive

2 œufs

4 tortillas de maïs de 25 cm

4 feuilles de laitue, lavées

4 anchois blancs

20 g de parmesan
fraîchement râpé

sel et poivre

Sauce

3 cuil. à soupe
de mayonnaise

1 cuil. à soupe d'eau

1/2 cuil. à soupe de vinaigre
de vin blanc

sel et poivre

Wraps de poulet façon salade César

Préchauffer le four à 200 °C (th. 6-7).

Mettre le poulet sur une plaque antiadhésive, badigeonner d'huile, saler et poivrer. Cuire 20 minutes au four préchauffé, retirer du four et laisser refroidir.

Porter à ébullition une petite casserole d'eau, ajouter les œufs et cuire 9 minutes. Rafraîchir 5 minutes à l'eau courante, écaler et hacher. Couper le poulet en lanières et ajouter aux œufs.

Pour la sauce, mélanger la mayonnaise, l'eau et le vinaigre, saler, poivrer et émulsionner. Incorporer au poulet et aux œufs et mélanger.

Chauffer une poêle antiadhésive jusqu'à ce qu'elle soit presque fumante, ajouter une tortilla et cuire 10 secondes de chaque côté. Procéder de même avec les tortillas restantes. Cette opération permet de faire dorer et d'assouplir les tortillas.

Placer une feuille de laitue au centre de chaque tortilla, ajouter le mélange à base de poulet et les anchois, et saupoudrer de parmesan. Rouler et servir immédiatement.

Pour 4 wraps

4 tortillas de blé de 25 cm

55 g de sauce aux
canneberges

255 g de blanc de dinde cuit,
ciselé

150 g de brie, coupé
en tranches

sel et poivre

Wraps de dinde aux canneberges et au brie

Préchauffer une poêle antiadhésive jusqu'à ce qu'elle soit presque fumante, ajouter une tortilla et cuire 10 secondes de chaque côté. Procéder de même avec les tortillas restantes. Cette opération permet de faire dorer et d'assouplir les tortillas.

Napper les tortillas de sauce aux canneberges, ajouter la dinde et le brie, saler et poivrer. Rouler, couper en deux en biais et servir immédiatement.

Pour 8 enchiladas

2 cuil. à soupe d'huile d'olive, un peu plus pour graisser

2 gros oignons, finement émincés

550 g de bœuf maigre, coupé en dés

1 cuil. à soupe de cumin en poudre

1 à 2 cuil. à café de poivre de Cayenne

1 cuil. à café de paprika

8 tortillas de maïs

1 bocal de sauce pour tacos, réchauffée et éventuellement allongée avec un peu d'eau

225 g de fromage râpé

sel et poivre

Accompagnement

4 avocats, coupés en dés

2 oignons rouges, finement hachés

moutarde

Enchiladas au bœuf

Préchauffer le four à 180 °C (th. 6). Huiler un grand plat allant au four.

Dans une poêle, chauffer l'huile à feu doux, ajouter les oignons et cuire 10 minutes, jusqu'à ce qu'ils soient tendres et dorés. Retirer de la poêle à l'aide d'une écumoire et réserver.

Augmenter le feu, mettre la viande dans la poêle et cuire 2 à 3 minutes sans cesser de remuer, jusqu'à ce qu'elle soit uniformément dorée. Réduire le feu, ajouter les épices, saler, poivrer et cuire 2 minutes sans cesser de remuer.

Chauffer chaque tortilla dans une poêle antiadhésive 15 secondes de chaque côté et les plonger dans la sauce pour tacos. Garnir les tortillas de viande, d'oignons et d'un peu de fromage râpé, et rouler.

Répartir les enchiladas dans le plat allant au four, napper de la sauce restante et garnir de fromage râpé. Cuire 30 minutes au four préchauffé et servir accompagné de dés d'avocats, d'oignons hachés et de moutarde.

Pour 4 wraps

250 g de filet de bœuf

1 cuil. à soupe d'huile d'olive

1 cuil. à soupe de mayonnaise

125 g de stilton, émietté

4 tortillas de blé de 25 cm

1/2 botte de cresson

sel et poivre

Wraps de bœuf au stilton

Saler et poivrer le bœuf.

Chauffer une poêle antiadhésive jusqu'à ce qu'elle soit presque fumante, ajouter l'huile, puis le bœuf, et cuire 30 secondes de chaque côté. Retirer de la poêle et laisser reposer quelques minutes. Couper en fines lanières à l'aide d'un couteau tranchant.

Mélanger la mayonnaise et le stilton.

Préchauffer une poêle antiadhésive jusqu'à ce qu'elle soit presque fumante, ajouter une tortilla et cuire 10 secondes de chaque côté. Procéder de même avec les tortillas restantes. Cette opération permet de faire dorer et d'assouplir les tortillas.

Répartir la viande dans les tortillas, ajouter le stilton et la mayonnaise, et garnir de cresson. Rouler, couper en deux et servir immédiatement.

Pour 4 tortillas

2 steaks, de 225 g chacun

zeste finement râpé et jus
d'un citron vert

1 piment vert frais, épépiné
et finement haché

2 gousses d'ail, hachées

1 pincée de sucre

2 cuil. à soupe d'huile d'olive

1 petit oignon, finement
émincé

1 poivron rouge, finement
émincé

4 tortillas de blé

sel et poivre

salsa à la tomate et crème
aigre, en accompagnement

Tortillas au steak et au citron vert

Couper les steaks en fines tranches. Pour la marinade, mettre le zeste de citron vert, le jus de citron vert, le piment, l'ail et le sucre dans une terrine, saler, poivrer et mélanger. Ajouter la viande, mélanger et couvrir. Mettre au réfrigérateur et laisser mariner 3 à 4 heures, en remuant de temps en temps.

Dans une poêle, chauffer l'huile à feu moyen, ajouter l'oignon et le poivron rouge, et cuire 5 minutes en remuant souvent, jusqu'à ce qu'ils soient tendres. Retirer la viande de la marinade à l'aide d'une écumoire, ajouter dans la poêle et cuire 2 à 3 minutes sans cesser de remuer, jusqu'à ce qu'elle soit dorée. Ajouter la marinade, porter à ébullition et mélanger.

Pendant ce temps, réchauffer les tortillas selon les instructions figurant sur le paquet. Répartir la préparation sur les tortillas, rouler et servir chaud accompagné de salsa à la tomate et de crème aigre.

Pour 4 wraps

½ canard

85 g de rhubarbe

1 cuil. à soupe d'eau

2 cuil. à café de sucre

4 tortillas de blé de 25 cm

1 mangue, pelée et coupée
en lanières

4 oignons verts, coupés
en morceaux de 5 cm

1 petite botte de coriandre

sel et poivre

Wraps de canard rôti à la mangue et à la rhubarbe

Préchauffer le four à 220 °C (th. 7-8).

Mettre le canard dans un plat antiadhésif et cuire 20 à 25 minutes au four préchauffé, jusqu'à ce qu'il soit croustillant. Retirer du four et réserver au chaud.

Dans une petite casserole, mettre la rhubarbe, 1 cuillerée à soupe d'eau et le sucre, et cuire 5 minutes, jusqu'à ce que la rhubarbe soit tendre. Retirer la casserole du feu et laisser refroidir.

Prélever la chair du canard de sa carcasse et couper en lanières.

Chauffer une poêle antiadhésive jusqu'à ce qu'elle soit presque fumante, ajouter une tortilla et cuire 10 secondes de chaque côté. Procéder de même avec les tortillas restantes. Cette opération permet de faire dorer et d'assouplir les tortillas.

Répartir le canard, la mangue et les oignons verts sur les tortillas, saler, poivrer et garnir de rhubarbe et de coriandre. Rouler, couper en deux en biais et servir immédiatement.

Pour 4 wraps

310 g de gigot d'agneau

1/2 cuil. à soupe d'huile
d'olive

4 tortillas de blé de 25 cm

100 g de poivrons piquillo
en bocal, égouttés et émincés

55 g d'olives vertes
dénoyautées

1 petite botte de persil plat
frais haché

sel et poivre

Aïoli

3 cuil. à soupe
de mayonnaise

1 cuil. à soupe d'huile d'olive
vierge extra

1 gousse d'ail, hachée

sel et poivre

Wraps d'agneau aux poivrons et à l'aïoli

Couper l'agneau en trois tranches, enduire d'huile, saler
et poivrer.

Chauffer une poêle à fond rainuré jusqu'à ce qu'elle soit presque
fumante, ajouter la viande et cuire 2 à 3 minutes de chaque
côté. La viande doit rester rosée au centre. Retirer de la poêle
et réserver au chaud.

Pour l'aïoli, mélanger la mayonnaise, l'huile d'olive et l'ail, saler
et poivrer.

Couper l'agneau en fines lamelles.

Chauffer une poêle antiadhésive jusqu'à ce qu'elle soit presque
fumante, ajouter une tortilla et cuire 10 secondes de chaque côté.
Procéder de même avec les tortillas restantes. Cette opération
permet de faire dorer et d'assouplir les tortillas.

Répartir l'agneau sur les tortillas, garnir de poivrons, d'olives
et de persil, napper d'aïoli. Rouler et servir immédiatement.

Pour 4 wraps

2 cuil. à café de moutarde

55 g de compote de pommes

4 tortillas de blé de 25 cm

280 g de porc grillé, coupé
en lanières

100 g de cheddar, coupé
en lamelles

sel et poivre

Wraps de porc grillé à la pomme et au cheddar

Mélanger la moutarde et la compote de pommes, saler et poivrer.

Chauffer une poêle antiadhésive jusqu'à ce qu'elle soit presque fumante, ajouter les tortillas et cuire 10 secondes de chaque côté. Procéder de même avec les tortillas restantes. Cette opération permet de faire dorer et d'assouplir les tortillas.

Répartir les lanières de porc et le cheddar sur les tortillas et garnir de moutarde et de compote de pommes. Rouler, couper en biais en deux et servir immédiatement.

Pour 20 rouleaux

115 g de tofu

3 cuil. à soupe d'huile

1 cuil. à café d'ail finement
haché

55 g de filet de porc,
coupé en lanières

115 g de crevettes crues,
décortiquées et déveinées

½ petite carotte, coupée
en allumettes

55 g de pousses de bambou
fraîches ou en boîte, rincées et
émincées (les pousses
fraîches doivent être cuites
30 minutes à l'eau bouillante)

115 g de chou, très finement
ciselé

55 g de pois mange-tout,
ciselés

1 œuf, cuit en omelette
et coupé en lanières

1 cuil. à café de sel

1 cuil. à café de sauce de soja
claire

1 cuil. à café de vin de riz

1 pincée de poivre blanc

20 galettes de riz souples

sauce aux haricots pimentée,
en accompagnement

Rouleaux chinois au porc

Couper le tofu en lamelles. Dans une poêle, chauffer 1 cuillerée
à soupe d'huile, ajouter le tofu et faire revenir jusqu'à ce qu'il
soit doré. Égoutter les lamelles et réserver.

Dans un wok préchauffé, chauffer l'huile restante, ajouter l'ail
et faire frire jusqu'à ce que les arômes se développent. Ajouter
le porc et faire revenir 1 minute. Ajouter les crevettes et faire
revenir encore 1 minute. Incorporer progressivement la carotte,
les pousses de bambou, le chou, les pois mange-tout, le tofu,
l'omelette, le sel, la sauce de soja, le vin de riz et le poivre blanc.
Faire revenir encore 1 minute et transférer dans une terrine.

Garnir les galettes de riz d'un peu de sauce aux haricots
pimentée et de la préparation à base de porc, rouler de façon
à enfermer hermétiquement la farce et servir.

2

Poissons
et fruits de mer

Pour 4 wraps

310 g de saumon frais

1 cuil. à soupe d'huile d'olive

4 œufs

2 cuil. à soupe de
mayonnaise

2 cuil. à soupe de crème aigre

20 g de câpres, hachées

zeste d'un citron

aneth frais, haché

4 tortillas de blé de 25 cm

sel et poivre

Wraps de saumon à l'aneth

Préchauffer le four à 200 °C (th. 6-7).

Mettre le saumon sur une plaque antiadhésive, badigeonner d'huile, saler et poivrer. Cuire 8 à 10 minutes au four préchauffé, retirer du four et laisser refroidir.

Porter une petite casserole d'eau à ébullition, ajouter les œufs et cuire 9 minutes. Rafraîchir 5 minutes à l'eau courante, écaler et hacher.

Émietter le saumon dans une terrine et ajouter les œufs, la mayonnaise, la crème aigre, les câpres, le zeste de citron et l'aneth.

Chauffer une poêle antiadhésive jusqu'à ce qu'elle soit presque fumante, ajouter une tortilla et cuire 10 secondes de chaque côté. Procéder de même avec les tortillas restantes. Cette opération permet de faire dorer et d'assouplir les tortillas.

Répartir le mélange à base de saumon sur les tortillas, rouler et couper en deux en biais. Servir immédiatement.

Pour 4 rouleaux

4 œufs

2 cuil. à soupe d'eau

3 oignons verts, finement hachés

1 petite poignée de coriandre fraîche hachée

1 cuil. à soupe d'huile d'arachide ou de maïs

sauce de soja, en accompagnement

Garniture

1 cuil. à soupe d'huile de maïs ou d'arachide

3 oignons verts, grossièrement hachés

225 g de calmars, parés et coupés en morceaux ou en anneaux

115 g de crevettes crues, décortiquées et déveinées

115 g de poisson à chair blanche, colin ou cabillaud par exemple, coupé en cubes de 2,5 cm

1 tête de pak choi, hachée

1 cuil. à soupe de pâte de curry verte

1 cuil. à café de sauce de poisson thaïlandaise

Rouleaux thaïlandais

Préchauffer le four à 190 °C (th. 6-7). Battre les œufs avec l'eau, les oignons verts et la moitié de la coriandre. Dans une poêle antiadhésive de 20 cm de diamètre, chauffer 1 cuillerée à soupe d'huile, verser un quart du mélange précédent et cuire 2 minutes à feu moyen à vif, jusqu'à ce que l'omelette ait pris. Retourner et cuire l'autre côté encore 1 minute. Retirer de la poêle et répéter l'opération avec les œufs restants.

Pour la garniture, chauffer 1 cuillerée à soupe d'huile dans la poêle, ajouter les oignons verts, le poisson et les fruits de mer, et cuire 2 à 3 minutes à feu moyen en remuant souvent, jusqu'à ce que le calmar soit ferme, les crevettes roses et le poisson bien cuit. Transférer dans un robot de cuisine et mixer 30 secondes. Ajouter le pak choi, la coriandre restante, la pâte de curry et la sauce de poisson, et mixer de nouveau de façon à obtenir une pâte épaisse.

Répartir la garniture sur les omelettes, rouler et transférer sur une plaque de four.

Cuire 10 à 15 minutes au four, jusqu'à ce que les rouleaux soient légèrement dorés et bien chauds. Servir immédiatement accompagné de sauce de soja.

Pour 24 beignets

24 gambas cuites, décortiquées sans ôter la queue

2 cuil. à soupe de sauce au piment douce

24 carrés de pâte à wontons

huile d'arachide ou de maïs, pour la friture

Sauce

1 cuil. à soupe d'huile de sésame

3 cuil. à soupe de sauce de soja

1 morceau de gingembre frais de 1 cm, pelé et finement haché

1 oignon vert, finement haché

Beignets de crevettes

Enduire les crevettes de sauce au piment. Empiler les carrés de pâte à wontons et les couvrir de film alimentaire de sorte qu'ils ne sèchent pas. Étaler un carré sur le plan de travail, humecter les bords et placer une crevette dans la diagonale. Replier le carré sur la crevette de façon à l'enfermer en laissant la queue dépasser. Procéder de même avec les crevettes et les carrés de pâte à wontons restants.

Dans un wok préchauffé, chauffer de l'huile à 180 °C – un dé de pain doit y dorer en 30 secondes. Plonger quelques beignets dans l'huile chaude et faire frire 45 secondes à 1 minute, jusqu'à ce qu'ils soient dorés et croustillants. Retirer de l'huile à l'aide d'une écumoire, égoutter sur du papier absorbant et réserver au chaud. Répéter l'opération avec les beignets restants.

Pour la sauce, mélanger l'huile de sésame, la sauce de soja, le gingembre et l'oignon vert. Servir en accompagnement des beignets.

Pour 4 wraps

4 tortillas de blé de 25 cm

200 g de queue de langouste
cuite

1 mangue, pelée et coupée
en dés

½ concombre, épépiné
et coupé en quartiers

1 petite botte de menthe
fraîche

1 petite botte de coriandre
fraîche

Sauce

2 cuil. à soupe de yaourt

1 cuil. à soupe
de mayonnaise

1 cuil. à café de pâte de curry
douce

1 cuil. à café de chutney
à la mangue

sel et poivre

Wraps de langouste à la mangue et au concombre

Mélanger tous les ingrédients de la sauce.

Chauffer une poêle antiadhésive jusqu'à ce qu'elle soit presque fumante, ajouter une tortilla et cuire 10 secondes de chaque côté. Procéder de même avec les tortillas restantes. Cette opération permet de faire dorer et d'assouplir les tortillas.

Répartir la langouste sur les tortillas, ajouter la mangue et le concombre, et parsemer de menthe et de coriandre ciselées.

Napper de sauce, rouler et couper en tranches. Servir immédiatement.

Pour 4 wraps

200 g de thon en boîte, égoutté

4 cuil. à soupe de mayonnaise

70 g d'olives vertes dénoyautées, hachées

4 oignons verts, émincés

1 petite botte de persil plat frais haché

4 feuilles de laitue, lavées

4 tortillas de blé de 25 cm

sel et poivre

Wraps thon-mayonnaise aux olives

Mélanger le thon, la mayonnaise, les olives, les oignons verts et le persil, saler et poivrer.

Chauffer une poêle antiadhésive jusqu'à ce qu'elle soit presque fumante, ajouter une tortilla et cuire 10 secondes de chaque côté. Procéder de même avec les tortillas restantes. Cette opération permet de faire dorer et d'assouplir les tortillas.

Placer les feuilles de laitue au centre de chaque tortilla, ajouter le mélange thon-mayonnaise et rouler. Couper en tranches et servir immédiatement.

Pour 4 wraps

1 petit bulbe de fenouil
de 250 g

150 g de chair de crabe
blanche fraîche ou en boîte

4 cuil. à soupe de
mayonnaise

zeste et jus d'un citron

1 petite botte de persil plat
frais haché

4 tortillas de blé de 25 cm

sel et poivre

Wraps de crabe au fenouil

Couper le fenouil dans la hauteur et émincer finement.

Transférer dans une terrine, ajouter la chair de crabe, la mayonnaise, le zeste de citron, le jus de citron et le persil, saler et poivrer. Bien mélanger.

Laisser reposer 5 minutes de sorte que le fenouil soit bien imprégné de jus de citron.

Chauffer une poêle antiadhésive jusqu'à ce qu'elle soit presque fumante, ajouter une tortilla et cuire 10 secondes de chaque côté. Procéder de même avec les tortillas restantes. Cette opération permet de faire dorer et d'assouplir les tortillas.

Mélanger de nouveau la garniture, répartir sur les tortillas et rouler. Couper en deux en biais et servir immédiatement.

Pour 8 burritos

450 g de poisson à chair blanche, vivaneau ou cabillaud, par exemple

¼ de cuil. à café de cumin en poudre

1 pincée d'origan séché

4 gousses d'ail, très finement hachées

150 ml de fumet de poisson

jus d'un demi-citron ou d'un demi-citron vert

8 tortillas de blé

2 à 3 feuilles de romaine, ciselées

2 tomates mûres, coupées en dés

sel et poivre

salsa, en accompagnement

quartiers de citron, en accompagnement

Burritos de poisson

Saler et poivrer le poisson, mettre dans une casserole et ajouter le cumin, l'origan et l'ail, et couvrir de fumet.

Porter à ébullition et cuire 1 minute. Retirer du feu et laisser reposer 30 minutes.

Retirer le poisson de la casserole à l'aide d'une écumoire et couper en cubes. Mettre dans une terrine non métallique, arroser de jus de citron et réserver.

Chauffer les tortillas une à une dans une poêle antiadhésive en aspergeant de quelques gouttes d'eau au cours de la cuisson. Envelopper les tortillas de papier d'aluminium ou d'un torchon au fur et à mesure de la cuisson pour réserver au chaud.

Répartir la laitue sur les tortillas, ajouter les morceaux de poisson et les tomates et garnir de salsa. Servir immédiatement accompagné de quartiers de citron.

Pour 4 wraps

½ concombre

200 g de maquereau fumé, émietté

200 g de fromage frais

½ oignon rouge, finement haché

1 cuil. à soupe de raifort

zeste d'un citron

aneth frais haché

poivre

4 tortillas de blé de 25 cm

Wraps de maquereau fumé au raifort

Couper le concombre en deux dans la longueur, épépiner à l'aide d'une petite cuillère et couper en dés.

Mettre le concombre, le maquereau fumé, le fromage frais, l'oignon et le raifort dans une terrine, mélanger et incorporer le zeste de citron, l'aneth et le poivre. Le maquereau fumé étant très salé, l'ajout de sel n'est pas conseillé.

Chauffer une poêle antiadhésive jusqu'à ce qu'elle soit presque fumante, ajouter une tortilla et cuire 10 secondes de chaque côté. Procéder de même avec les tortillas restantes. Cette opération permet de faire dorer et d'assouplir les tortillas.

Répartir le mélange à base de maquereau fumé sur les tortillas, plier en deux et de nouveau en deux de façon à obtenir des cônes.

Pour 4 wraps

310 g de steaks de thon frais

1 cuil. à soupe d'huile d'olive

½ cuil. à café de grains de poivre noir concassés

½ cuil. à café de graines de cumin

4 tortillas de maïs de 25 cm, éventuellement aromatisées à la tomate

sel

Taboulé

20 g de semoule

1 cuil. à soupe d'huile d'olive vierge extra

1 tomate, épépinée et coupée en dés

1 oignon vert, finement haché

1 botte de persil frais, ciselée

sel et poivre

Wraps de thon au taboulé

Enduire le thon d'huile d'olive et saupoudrer de poivre, de cumin et de sel.

Chauffer une poêle antiadhésive jusqu'à ce qu'elle soit presque fumante, ajouter le thon et cuire 30 secondes de chaque côté. Réserver.

Pour le taboulé, mettre la semoule et l'huile d'olive dans une jatte résistant à la chaleur, couvrir d'eau bouillante et laisser reposer 5 minutes.

Mélanger la semoule à l'aide d'une fourchette de façon à séparer les grains. Si les grains paraissent trop fermes, ajouter encore un peu d'eau et répéter l'opération.

Incorporer la tomate, l'oignon vert et le persil, saler et poivrer.

Chauffer une poêle antiadhésive jusqu'à ce qu'elle soit presque fumante, ajouter une tortilla et cuire 10 secondes de chaque côté. Procéder de même avec les tortillas restantes. Cette opération permet de faire dorer et d'assouplir les tortillas.

Répartir le taboulé sur les tortillas, ajouter les steaks de thon et rouler. Servir immédiatement.

Pour 4 wraps

1 avocat mûr

200 g de crevettes cuites décortiquées

4 tortillas de blé de 25 cm

4 feuilles de laitue

Sauce

3 cuil. à soupe de mayonnaise

1 cuil. à soupe de ketchup

1 cuil. à café de sauce Worcestershire

1 trait de tabasco

sel et poivre

Wraps de crevettes à l'avocat

Couper l'avocat en deux, dénoyauter et couper en 8 quartiers.

Pour la sauce, mélanger la mayonnaise, le ketchup, la sauce Worcestershire et le tabasco. Saler, poivrer et incorporer les crevettes.

Chauffer une poêle antiadhésive jusqu'à ce qu'elle soit presque fumante, ajouter une tortilla et cuire 10 secondes de chaque côté. Procéder de même avec les tortillas restantes. Cette opération permet de faire dorer et d'assouplir les tortillas.

Mettre une feuille de laitue au centre de chaque tortilla, ajouter le mélange à base de crevettes et garnir d'un quartier d'avocat. Rouler, couper en deux en biais et servir.

Légumes

Pour 8 crêpes

25 g de beurre

1/2 cuil. à soupe d'huile de tournesol

200 g de poireaux, coupés en deux, rincés et finement émincés

noix muscade fraîchement râpée

1 cuil. à soupe de ciboulette hachée

8 crêpes salées

85 g de fromage de chèvre, croûte retirée, haché

sel et poivre

Crêpes aux poireaux et au chèvre

Dans une poêle, verser l'huile et faire fondre le beurre à feu moyen à vif. Ajouter les poireaux et mélanger de sorte qu'ils soient bien enrobés de beurre. Saler, poivrer et ajouter de la noix muscade. Couvrir d'un disque de papier sulfurisé, mettre un couvercle et réduire le feu. Cuire 5 à 7 minutes à feu très doux, jusqu'à ce que les poireaux soient très tendres, sans laisser brunir. Incorporer la ciboulette et rectifier l'assaisonnement.

Étaler une crêpe sur un plan de travail, garnir d'un huitième de la préparation à base de poireaux, ajouter un huitième du fromage et replier la crêpe ou la rouler. Répéter l'opération avec les ingrédients restants.

Pour servir chaud, mettre les crêpes farcies dans un plat chemisé de papier sulfurisé et cuire 5 minutes au four préchauffé à 200 °C (th. 6-7), jusqu'à ce que les crêpes soient bien chaudes et que le fromage commence à fondre.

Pour 4 wraps

1 oignon rouge, coupé
en 8 quartiers

1 poivron rouge, évidé
et coupé en huit

1 petite aubergine, coupée
en huit

1 courgette, coupée en huit

4 cuil. à soupe d'huile d'olive
vierge extra

1 gousse d'ail, hachée

100 g de feta, émiettée

1 petite botte de menthe
fraîche, hachée

4 tortillas de maïs de 25 cm
éventuellement aromatisées
à la tomate

sel et poivre

Wraps de légumes grillés à la feta

Préchauffer le four à 220 °C (th. 7-8).

Mélanger les légumes, l'huile d'olive et l'ail, saler et poivrer. Mettre le tout dans un plat antiadhésif et cuire 15 à 20 minutes au four préchauffé, jusqu'à ce que les légumes soient dorés et bien cuits.

Laisser refroidir et incorporer la feta et la menthe.

Chauffer une poêle antiadhésive jusqu'à ce qu'elle soit presque fumante, ajouter une tortilla et cuire 10 secondes de chaque côté. Procéder de même avec les tortillas restantes. Cette opération permet de faire dorer et d'assouplir les tortillas.

Répartir la garniture à base de légumes et de feta sur les tortillas, rouler, couper en deux et servir immédiatement.

Pour 4 personnes

2 cuil. à soupe d'huile d'olive

1 gros oignon, finement
haché

225 g de champignons de
Paris, finement émincés

2 piments verts doux,
épépinés et finement hachés

2 gousses d'ail, hachées

250 g de feuilles d'épinards,
ciselées

175 g de fromage râpé

8 tortillas de blé

huile, pour la friture

Chimichangas aux champignons et aux épinards

Dans une grande poêle à fond épais, chauffer l'huile, ajouter
l'oignon et cuire 5 minutes à feu moyen, jusqu'à ce qu'il soit
tendre.

Ajouter les champignons, les piments et l'ail, et cuire 5 minutes,
jusqu'à ce que les champignons soient légèrement dorés. Ajouter
les épinards et cuire 1 à 2 minutes sans cesser de remuer,
jusqu'à ce qu'ils aient flétri. Ajouter le fromage et faire revenir
jusqu'à ce qu'il ait fondu.

Répartir la préparation obtenue sur les tortillas, rabattre
deux côtés opposés de chaque tortilla sur la garniture et rouler
de sorte qu'elle soit enfermée hermétiquement.

Dans une friteuse ou une grande casserole, chauffer l'huile
à 180 °C – un dé de pain doit y dorer en 30 secondes. Plonger
2 chimichangas dans l'huile et faire frire 5 à 6 minutes en
retournant à mi-cuisson, jusqu'à ce qu'elles soient croustillantes
et dorées. Égoutter sur du papier absorbant, procéder de même
avec les chimichangas restantes et servir.

Pour 4 wraps

4 tortillas de blé de 25 cm

4 tomates cerises, coupées
en deux

1/2 concombre, épépiné
et coupé en quartiers

55 g de pousses d'épinard

Houmous

200 g de pois chiches
en boîte, égouttés

1 gousse d'ail, hachée

à soupe d'huile d'olive
vierge extra

1 cuil. à café de tahini

1 cuil. à café de jus de citron

55 g d'olives vertes
dénoyautées, hachées

1 petite botte de persil plat
frais, hachée

sel et poivre

Wraps à l'houmous et aux olives vertes

Pour l'houmous, mettre les pois chiches, l'ail, l'huile d'olive, le tahini et le jus de citron dans un robot de cuisine et réduire en purée homogène. Saler et poivrer. Transférer dans une terrine et incorporer les olives et le persil.

Chauffer une poêle antiadhésive jusqu'à ce qu'elle soit presque fumante, ajouter une tortilla et cuire 10 secondes de chaque côté. Procéder de même avec les tortillas restantes. Cette opération permet de faire dorer et d'assouplir les tortillas.

Répartir l'houmous sur les tortillas et ajouter les tomates cerises, le concombre et les pousses d'épinard. Rouler, couper en deux en biais et servir immédiatement.

Pour 4 wraps

100 g de haricots verts, éboutés

100 g de haricots borlotti en boîte, égouttés

100 g de haricots rouges en boîte, égouttés

1/2 oignon rouge, finement émincé

4 cuil. à soupe d'huile d'olive vierge extra

1 cuil. à café de vinaigre de vin rouge

100 g de betterave cuite

1 avocat mûr

4 tortillas de blé de 25 cm

sel et poivre

Wraps aux trois haricots

Blanchir les haricots verts 30 secondes à l'eau bouillante salée, rincer à l'eau courante pour stopper la cuisson et égoutter. Réserver.

Mettre les haricots rouges, les haricots borlotti, l'oignon rouge, l'huile d'olive et le vinaigre dans une terrine, ajouter les haricots verts, saler et poivrer.

Couper la betterave en cubes de 2,5 cm. Couper l'avocat en deux, dénoyauter, peler et hacher la chair. Ajouter la betterave et l'avocat dans la terrine, et bien mélanger le tout.

Chauffer une poêle antiadhésive jusqu'à ce qu'elle soit presque fumante, ajouter une tortilla et cuire 10 secondes de chaque côté. Procéder de même avec les tortillas restantes. Cette opération permet de faire dorer et d'assouplir les tortillas.

Répartir la garniture sur les tortillas, rouler et couper en deux. Servir immédiatement.

Pour 4 wraps
280 g de cheddar râpé
140 g de pickles
à la moutarde
4 oignons verts, hachés
sel et poivre
4 tortillas de blé de 25 cm

Wraps de pickles au cheddar

Mélanger tous les ingrédients de la garniture, saler et poivrer.

Chauffer une poêle antiadhésive jusqu'à ce qu'elle soit presque fumante, ajouter une tortilla et cuire 10 secondes de chaque côté. Procéder de même avec les tortillas restantes. Cette opération permet de faire dorer et d'assouplir les tortillas.

Répartir la préparation sur les tortillas, rouler et couper en deux. Servir immédiatement.

Pour 4 wraps

280 g de betterave cuite,
coupée en dés

100 g de roquefort, émietté

100 g de cerneaux de noix,
hachés

1 cuil. à soupe de
mayonnaise

55 g de roquette

4 tortillas de blé de 25 cm

sel et poivre

Wraps à la betterave et au roquefort

Mélanger la betterave, le roquefort, les noix et la mayonnaise, saler et poivrer. Incorporer délicatement les feuilles de roquette.

Chauffer une poêle antiadhésive jusqu'à ce qu'elle soit presque fumante, ajouter une tortilla et cuire 10 secondes de chaque côté. Procéder de même avec les tortillas restantes. Cette opération permet de faire dorer et d'assouplir les tortillas.

Répartir la garniture sur les tortillas, rouler et couper en deux. Servir immédiatement.

Pour 4 wraps

3 oignons rouges, chacun coupé en 8 quartiers

3 cuil. à soupe d'huile d'olive vierge extra

250 g de fromage de chèvre, émietté

100 g d'amandes effilées

1 à 2 cuil. à soupe de persil plat frais haché

4 tortillas de blé de 25 cm

sel et poivre

Wraps aux oignons rouges grillés et au fromage de chèvre

Préchauffer le four à 220 °C (th. 7-8).

Mélanger les oignons et l'huile d'olive, saler et poivrer. Répartir le tout sur une plaque antiadhésive et cuire 15 à 20 minutes au four préchauffé, jusqu'à ce que les oignons soient dorés et bien cuits.

Retirer les oignons du four et laisser refroidir.

Incorporer le fromage de chèvre, les amandes et le persil aux oignons, et réserver.

Chauffer une poêle antiadhésive jusqu'à ce qu'elle soit presque fumante, ajouter une tortilla et cuire 10 secondes de chaque côté. Procéder de même avec les tortillas restantes. Cette opération permet de faire dorer et d'assouplir les tortillas.

Répartir la garniture sur les tortillas, plier en deux puis de nouveau en deux de façon à obtenir des cônes. Servir immédiatement.

Pour 4 wraps

200 g de petites pommes
de terre nouvelles

4 œufs

55 g de cresson

4 cuil. à soupe de
mayonnaise

1 cuil. à café de moutarde

1 petit oignon blanc,
finement haché

4 tortillas de blé de 25 cm

sel et poivre

Wraps aux œufs et au cresson

Cuire les pommes de terre 15 minutes à l'eau bouillante salée, égoutter et laisser refroidir. Peler et couper en dés.

Porter une petite casserole d'eau à ébullition, ajouter les œufs et cuire 9 minutes. Rafraîchir à l'eau courante 5 minutes, écaler et réserver.

Hacher le cresson et les œufs, mettre dans une terrine et ajouter les pommes de terre, la mayonnaise, la moutarde et l'oignon. Saler, poivrer et bien mélanger le tout.

Chauffer une poêle antiadhésive jusqu'à ce qu'elle soit presque fumante, ajouter une tortilla et cuire 10 secondes de chaque côté. Procéder de même avec les tortillas restantes. Cette opération permet de faire dorer et d'assouplir les tortillas.

Répartir la garniture sur les tortillas, rouler et couper en deux. Servir immédiatement.

Pour 4 wraps

4 tortillas de blé de 25 cm

3 boules de mozzarella de bufflonne, égouttées et coupées en lamelles

4 tomates, chacune coupée en huit

55 g de roquette

Pesto

70 g de pignons

1 gousse d'ail, hachée

1 petite botte de basilic

4 cuil. à soupe d'huile d'olive vierge extra

70 g de parmesan, fraîchement râpé

sel et poivre

Wraps au pesto et à la mozzarella

Pour le pesto, mettre les pignons, l'ail et le basilic dans un robot de cuisine et mixer en ajoutant progressivement l'huile en mince filet, jusqu'à obtention d'une purée homogène. Transférer dans une terrine et incorporer le parmesan. Saler et poivrer.

Chauffer une poêle antiadhésive jusqu'à ce qu'elle soit presque fumante, ajouter une tortilla et cuire 10 secondes de chaque côté. Procéder de même avec les tortillas restantes. Cette opération permet de faire dorer et d'assouplir les tortillas.

Napper les tortillas de pesto.

Répartir les lamelles de mozzarella sur les tortillas, ajouter les tomates et la roquette, et rouler. Couper en tranches et servir.

Gourmandises sucrées

Pour 8 à 10 crêpes

115 g de farine

25 g de cacao en poudre

1 pincée de sel

1 œuf

25 g de sucre en poudre

350 ml de lait

50 g de beurre

sucre glace, pour saupoudrer

crème glacée ou crème
fraîche, en accompagnement

Garniture

150 g de mûres

150 g de myrtilles

225 g de framboises

55 g de sucre en poudre

jus d'un demi-citron

½ cuil. à café de poudre
de piment de la Jamaïque
(facultatif)

Crêpes chocolatées aux fruits rouges

Préchauffer le four à 140 °C (th. 4-5). Tamiser la farine, le cacao et le sel dans une jatte et creuser un puits au centre.

Battre l'œuf avec le sucre et la moitié du lait, verser dans le puits et mélanger jusqu'à obtention d'une pâte fluide. Incorporer progressivement le lait restant et verser dans un pichet doseur.

Chauffer une poêle antiadhésive de 18 cm de diamètre, ajouter 1 cuillerée à café de beurre et chauffer jusqu'à ce qu'il ait fondu.

Répartir un huitième de la pâte dans la poêle et cuire 30 secondes, retourner la crêpe et cuire l'autre côté jusqu'à ce qu'il soit doré.

Transférer la crêpe sur une assiette chaude et réserver au four préchauffé. Répéter l'opération avec la pâte restante en ajoutant du beurre dans la poêle entre la cuisson de chaque crêpe. Empiler les crêpes en les intercalant avec du papier sulfurisé.

Pour la garniture, équeuter, laver et trier les fruits. Les mettre dans une casserole et ajouter le sucre, le jus de citron et le piment de la Jamaïque. Cuire à feu doux jusqu'à ce que le sucre soit dissous et que les fruits soient bien chauds. Veiller à ne pas trop cuire.

Mettre une crêpe sur une assiette, garnir de fruits, rouler ou plier en quatre et saupoudrer de sucre glace. Procéder de même avec les crêpes restantes et servir accompagné de crème glacée ou de crème fraîche.

Pour 8 crêpes

8 crêpes sucrées
agrémentées de zeste de
citron finement râpé

2 cuil. à soupe de cognac

Sauce

55 g de sucre en poudre

1 cuil. à soupe d'eau

zeste finement râpé d'une
grosse orange

125 ml de jus d'oranges
fraîchement pressées

55 g de beurre, coupé en dés

1 cuil. à soupe de liqueur
d'orange

Crêpes Suzette

Pour la sauce, mettre le sucre dans une poêle, ajouter l'eau
et chauffer à feu moyen jusqu'à ce que le sucre soit dissous.
Augmenter le feu, porter à ébullition et laisser bouillir
1 à 2 minutes, jusqu'à obtention d'un caramel.

Incorporer le zeste et le jus d'oranges, ajouter le beurre et remuer
jusqu'à ce qu'il ait fondu. Ajouter la liqueur et mélanger.

Étaler une crêpe dans la poêle, arroser de sauce et plier en
quatre à l'aide d'une fourchette et d'une cuillère. Repousser
sur un côté de la poêle et répéter l'opération avec les crêpes
restantes. Retirer la poêle du feu.

Chauffer le cognac dans une casserole, flamber et verser sur
les crêpes en secouant la poêle.

Attendre l'extinction des flammes et servir arrosé de sauce.

Pour 4 wraps

1 grosse mangue, pelée
et coupée en cubes

1 petit ananas, pelé, évidé
et coupé en cubes

4 cuil. à soupe de yaourt
à la grecque

1 cuil. à soupe de miel

4 tortillas de blé de 25 cm

4 cuil. à soupe de miel

1 cuil. à soupe de beurre
fondu

1 cuil. à café de poudre
de piment de la Jamaïque

Wraps sucrés et épicés

Préchauffer le gril à haute température.

Mélanger la mangue, l'ananas, le yaourt et le miel.

Napper les tortillas de miel et de beurre, saupoudrer de piment de la Jamaïque et passer 1 minute au gril. Cette opération permet de faire dorer et d'assouplir les tortillas.

Répartir le mélange à base de fruits sur les tortillas, rouler et servir immédiatement.

Pour 8 crêpes

3 grosses bananes

6 cuil. à soupe de jus
d'orange

zeste râpé d'une orange

2 cuil. à soupe de liqueur
d'orange ou de banane

Sauce au chocolat

1 cuil. à soupe de cacao
en poudre

2 cuil. à café de maïzena

3 cuil. à soupe de lait

40 g de chocolat noir, brisé
en carrés

1 cuil. à soupe de beurre

175 g de lait concentré sucré

1/4 de cuil. à café d'extrait
de vanille

Crêpes

115 g de farine

1 cuil. à soupe de cacao
en poudre

1 œuf, battu

1 cuil. à café d'huile
de tournesol

300 ml de lait

huile, pour la cuisson

Crêpes chocolat-banane

Peler les bananes, couper en rondelles et mettre dans une jatte.
Ajouter le jus d'orange, le zeste et la liqueur, et réserver.

Pour la sauce, délayer le cacao et la maïzena dans le lait. Mettre
le chocolat, le lait concentré et le beurre dans une casserole,
chauffer à feu doux sans cesser de remuer et ajouter le mélange
précédent. Porter à ébullition à feu doux sans cesser de remuer
et laisser mijoter 1 minute. Retirer du feu et incorporer l'extrait
de vanille.

Pour les crêpes, tamiser la farine et le cacao dans une jatte
et creuser un puits au centre. Verser l'huile et l'œuf dans le puits
et mélanger en ajoutant progressivement le lait de façon à obtenir
une pâte fluide. Dans une poêle à fond épais, chauffer un peu
d'huile, verser un huitième de la pâte et cuire à feu moyen,
jusqu'à ce que la base soit dorée. Retourner la crêpe et cuire
l'autre côté. Réserver au chaud et répéter l'opération avec
la pâte restante.

Réchauffer la sauce 1 à 2 minutes. Garnir les crêpes de bananes,
plier en triangles et arroser de sauce au chocolat.

Pour 8 crêpes

Crêpes

150 g de farine

1 pincée de sel

1 œuf

1 jaune d'œuf

300 ml de lait de coco

4 cuil. à café d'huile,
un peu plus pour la cuisson

Garniture

1 banane

1 papaye

jus d'un citron vert

2 fruits de la passion

1 mangue, pelée, dénoyautée
et coupée en lamelles

4 litchis, dénoyautés
et coupés en deux

1 à 2 cuil. à soupe de miel

brins de menthe frais,
en garniture

Crêpes aux fruits exotiques

Dans une jatte, tamiser la farine et le sel, et creuser un puits
au centre. Verser l'œuf, le jaune d'œuf et un peu de lait de coco
dans le puits et mélanger en ajoutant progressivement le lait
de coco restant de façon à obtenir une pâte fluide. Incorporer
l'huile, couvrir et laisser reposer 30 minutes au réfrigérateur.

Peler la banane, couper en rondelles et mettre dans une jatte.
Peler la papaye, couper en lamelles et ajouter dans la jatte.
Mélanger et incorporer le jus de citron vert. Couper les fruits
de la passion en deux, prélever la chair et les pépins et ajouter
dans la jatte. Incorporer la mangue, les litchis et le miel.

Dans une poêle de 15 cm de diamètre, chauffer un peu d'huile,
verser un huitième de la pâte et cuire jusqu'à ce que la base
ait pris. Retourner la crêpe et cuire rapidement l'autre côté.
Réserver au chaud et répéter l'opération avec la pâte restante.

Répartir le mélange à base de fruits sur les crêpes, rouler
et transférer sur des assiettes chaudes. Garnir de brins de menthe
et servir immédiatement.

Pour 8 crêpes

325 g de ricotta

175 ml de lait

4 œufs, blancs et jaunes séparés

125 g de farine

1 cuil. à café de levure chimique

1 pincée de sel

55 g de chocolat au lait, râpé

2 cuil. à soupe de beurre

Sauce orange-caramel

4 cuil. à soupe de beurre

85 g de sucre roux

150 ml de crème fraîche épaisse

2 à 3 cuil. à soupe de jus d'orange ou de liqueur d'orange

Crêpes chocolatées au caramel et à l'orange

Pour la sauce, mettre le beurre et le sucre dans une casserole et chauffer à feu doux jusqu'à ce que le beurre ait fondu et que le sucre soit dissous. Ajouter la crème fraîche, laisser mijoter 3 à 4 minutes et retirer du feu. Incorporer le jus d'orange ou la liqueur d'orange et réserver.

Pour les crêpes, mettre la ricotta, le lait et les jaunes d'œufs dans une jatte et mélanger. Tamiser la farine, la levure et le sel dans la jatte, ajouter le chocolat et bien mélanger le tout.

Monter les blancs d'œufs en neige ferme et incorporer dans la jatte.

Chauffer une poêle antiadhésive, beurrer légèrement et verser 2 cuillerées à soupe de pâte. Cuire 2 à 3 minutes, jusqu'à ce que des bulles se forment à la surface, retourner et cuire encore 2 à 3 minutes. Répéter l'opération avec la pâte restante et servir accompagné de sauce.

Pour 4 samoussas

300 g de pommes, pelées et évidées

55 g de raisins secs

2 cuil. à soupe de sucre roux

1 cuil. à café de cannelle en poudre

4 feuilles de pâte filo

4 cuil. à soupe de beurre, fondu

sucre glace, pour saupoudrer

Samoussas épicés aux pommes

Préchauffer le four à 200 °C (th. 6-7). Couper les pommes en cubes de 2,5 cm, mettre dans une jatte et ajouter les raisins secs, le sucre et la cannelle.

Étaler les feuilles de pâte filo et enduire de beurre fondu. Plier chaque feuille en deux et enduire de nouveau de beurre fondu.

Répartir le mélange à base de pommes sur les feuilles de pâte filo pliées, replier en triangles et enduire de nouveau de beurre fondu. Saupoudrer de sucre glace.

Transférer les triangles sur une plaque antiadhésive et cuire 10 minutes au four préchauffé, jusqu'à ce que les samoussas soient dorés. Servir chaud.

Pour 4 rouleaux

½ cuil. à soupe d'huile

55 g d'amandes mondées

15 g de pistaches

150 g de miel

100 g de chapelure

zeste d'une demi-orange

4 galettes de riz

Rouleaux aux amandes et aux pistaches

Dans une poêle, chauffer l'huile, ajouter les amandes et cuire jusqu'à ce qu'elles commencent à changer de couleur. Ajouter les pistaches et cuire jusqu'à ce que le tout soit bien doré.

Dans une casserole, chauffer le miel à feu doux, ajouter les amandes, les pistaches, la chapelure et le zeste d'orange.

Cuire 5 minutes sans cesser de remuer, jusqu'à obtention d'une pâte épaisse. Retirer du feu et laisser refroidir.

Étaler les galettes de riz sur le plan de travail et les humecter de façon à les assouplir.

Répartir la pâte sur les galettes de riz, rouler et servir.

Pour 4 sushis

100 g de figues sèches,
hachées

100 g de dattes sèches,
hachées

15 g de gingembre au sirop,
haché

20 g de sirop de gingembre

200 g de riz pour sushi

300 ml d'eau

1 cuil. à soupe de vinaigre
de riz

1 cuil. à soupe de sucre

Sushis sucrés

Dans une jatte, mettre les figues, les dattes, le gingembre et le sirop, mélanger et laisser reposer 10 minutes.

Rincer le riz à l'eau courante et répéter l'opération jusqu'à ce que le riz rende une eau claire.

Mettre le riz dans une casserole, ajouter l'eau et porter à ébullition. Réduire le feu, couvrir et cuire jusqu'à évaporation totale de l'eau. Le processus doit prendre environ 6 minutes. Retirer du feu et laisser reposer 15 minutes.

Incorporer le sucre et le vinaigre au riz.

Couvrir une natte en bambou de film alimentaire.

Les mains mouillées, répartir la moitié du riz sur le film alimentaire en une couche homogène.

Étaler la moitié de la farce sur le riz.

Façonner un cylindre de riz en s'aidant de la natte de bambou et en pressant très légèrement.

Répéter l'opération avec le riz et la farce restants.

Couper chaque cylindre en deux et servir.

Pour 4 calzone

200 g d'abricots secs

150 g de rhubarbe, hachée

300 ml d'eau

70 g de sucre

sucre glace, pour saupoudrer

crème fouettée,
en accompagnement

Calzone

225 g de farine, un peu plus
pour saupoudrer

1/2 cuil. à café de sel

½ cuil. à café de levure
de boulanger déshydratée

90 ml de lait

50 ml d'eau tiède

1 cuil. à café d'huile d'olive,
un peu plus pour graisser

Calzone
à la rhubarbe
et à l'abricot

Dans une casserole, mettre les abricots secs, la rhubarbe, l'eau et le sucre, cuire 15 à 20 minutes à feu doux et laisser refroidir.

Pour les calzone, tamiser la farine et le sel dans une jatte, ajouter la levure, le lait et l'eau, et mélanger avec les mains. Sur un plan fariné, pétrir la pâte 5 minutes, jusqu'à ce qu'elle soit bien souple. Creuser quelques cavités dans la pâte avec les doigts, verser l'huile dans les cavités et pétrir de nouveau la pâte jusqu'à ce que l'huile soit totalement incorporée.

Façonner la pâte en boule, mettre dans une jatte huilée et couvrir de film alimentaire. Laisser lever 1 heure à 1 h 30 près d'une source de chaleur jusqu'à ce que la pâte ait doublé de volume.

Préchauffer le four à température maximale et chauffer une plaque antiadhésive.

Sur un plan fariné, diviser la pâte en quatre et abaisser finement. Répartir la garniture au centre de chaque abaisse de pâte, humecter les bords et plier en deux. Pincer les bords, saupoudrer de sucre glace et mettre sur la plaque chaude. Cuire 8 à 10 minutes au four préchauffé, jusqu'à ce que les calzone soient dorées, et servir accompagné de crème fouettée.